OS MISTÉRIOS DO KARMA E A SUA SUPERAÇÃO

Annie Besant

OS MISTÉRIOS DO KARMA E A SUA SUPERAÇÃO

Tradução de
NAIR LACERDA

Editora
Pensamento
SÃO PAULO

Título original: *A Study in Karma*

1ª edição 2010.
1ª reimpressão 2014.

Originalmente publicado com o título de *Um estudo sobre o karma.*

Dados Internacionais de Catalogação na Publicação (CIP)
(Câmara Brasileira do Livro, SP, Brasil)

Besant, Annie, 1847-1933.
Os mistérios do karma e sua superação / Annie Besant ; tradução de Nair Lacerda. – São Paulo : Pensamento, 2009.

Título original: A study in karma.
ISBN 978-85-315-1619-1

1. Carma I. Título.

09-12277 CDD-133

Índices para catálogo sistemático:
1. Carma : Esoterismo 133

EDITORA PENSAMENTO-CULTRIX LTDA.
Rua Dr. Mário Vicente, 368 — 04270-000 — São Paulo, SP
Fone: (11) 2066-9000 — Fax: (11) 2066-9008
E-mail: atendimento@editorapensamento.com.br
http://www.editorapensamento.com.br

Sumário

Karma

Da *Luz da Ásia*,* de Sir Edwin Arnold

Ele não conhece nem a cólera nem o perdão;
suas medidas são de uma precisão absoluta e sua balança
é infalível; o tempo não existe para ele;
Ele julgará amanhã ou muito depois.

Graças a ele, o assassino se fere com sua própria arma,
o juiz injusto perde seu defensor, a língua falaz
condena sua própria mentira, o ladrão sorrateiro
e o assaltante roubam para entregar o produto de suas rapinas.

Essa é a Lei que leva à Justiça.
que ninguém pode anular ou deter;
seu cerne é o Amor; sua finalidade a Paz,
a Perfeição última. Obedecei!

---

* Publicado pela Editora Pensamento, São Paulo.

Um estudo sobre o karma

Entre as muitas dádivas esclarecedoras transmitidas pela Sociedade Teosófica ao mundo ocidental, a que se refere ao conhecimento do karma talvez seja a segunda em importância, depois da lei da reencarnação. O conhecimento do karma afasta o pensamento e o desejo do homem do âmbito dos acontecimentos arbitrários, levando-os para a região da lei, colocando assim o futuro do homem sob seu próprio controle, a partir da extensão do seu conhecimento.

A principal concepção de karma – "Tal como o homem semeia, assim colherá" – é fácil de apreender. Contudo, a sua aplicação detalhada na vida diária, o método de ação desse princípio e suas consequências a longo prazo são dificuldades que se tornam desnorteantes para o estudante, à proporção que amplia o seu conhecimento. Os princípios em que as ciências naturais se fundamentam são, em sua maioria, facilmente assimiláveis para as pessoas de regular inteligência e instrução comum; contudo, quando o estudante passa dos princípios para a prática, do esboço para os detalhes, descobre que as dificuldades pressionam e que, se quiser dominar totalmente o assunto, será obrigado a tornar-se um especialista e a devotar longos períodos para desembaraçar os emaranhados com que se defronta. O mesmo acontece com a ciência do karma: o estudante não pode permanecer sempre no período das generalidades. Deve estudar as subdivisões da lei primeira, deve procurar aplicá-la a todas as circunstâncias da vida, deve aprender até onde ela o obriga e de que forma é possível a libertação. Deve aprender a observar o karma como lei universal da natureza, e entender também que, ao considerar a natureza como um todo, só poderá conquistá-la e dominá-la obedecendo às suas leis.[1]

1. A "Natureza é conquistada pela obediência". (N.A.)

Princípios fundamentais

Para compreender o karma, o estudante deve começar com uma visão clara de certos princípios fundamentais, porque a ausência de tais princípios provoca em muitos deles constante perplexidade e infinitas perguntas que não podem ter respostas completas sem que suas bases concretas sejam estabelecidas. Portanto, nestas considerações, começo com eles, embora sejam familiares para muitos dos meus leitores devido às exposições anteriores, feitas por mim mesma ou por outras pessoas.

A concepção fundamental, sobre a qual repousa todo o pensamento posterior correto sobre o karma, é a de que o karma é lei – lei eterna, imutável, invariável, inviolável, lei que jamais pode ser rompida e que faz parte integrante da natureza das coisas. A ignorância dessa concepção é que leva o teosofista mal-informado a dizer: "Você não deve interferir no seu karma."

Entretanto, sempre que uma lei natural se manifestar, você deve interferir nela tanto quanto puder. Jamais ouvirá alguém lhe dizer: "Você não deve interferir na lei da gravidade." Compreende-se que a gravidade é uma das condições que a pessoa precisa saber avaliar, a fim de ter total liberdade para se opor a qualquer inconveniente que ela possa causar, contrapondo-lhe outra força, construindo uma base segura para aquilo que, de outra maneira, viria a cair por terra sob a ação da gravidade, ou por outro motivo qualquer.

Quando uma condição da natureza nos incomoda, usamos nossa inteligência para fugir dela, e ninguém sonharia, sequer, em nos dizer que não devemos "interferir" ou modificar qualquer condição que nos desagrade. Só podemos interferir quando temos conhecimento, pois não há possibilidade de aniquilar qualquer força natural, nem de evitar que ela se manifeste. Podemos, entretanto, neutralizá-la, podemos desviar a sua ação se tivermos força suficiente para tanto. Embora não possamos abater, em nosso benefício, uma só partícula dessa atividade, podemos resistir, nos opor, nos desviar dela, de acordo com o conhecimento que temos da sua natureza e de sua ação, segundo os meios de que dispomos. O karma não é mais "sagrado" do que qualquer outra lei natural: todas as leis da natureza são expressões da natureza divina, e nós vivemos e nos movemos dentro delas. Não são, porém, obrigatórias; são forças que armam as condições entre as quais existimos, e que atuam tanto interior como exteriormente. Quando as compreendemos podemos manipulá-las, e, se nossa inteligência evoluir, nos tornaremos cada vez mais seus senhores, até que o homem venha a se tornar um super-homem, e a natureza material passe a ser a sua servidora.

Leis: naturais ou feitas pelos homens

Sobre essa matéria tem havido muita confusão no Ocidente, porque as leis naturais têm sido vistas como algo à parte das leis mentais e morais, embora essas leis mentais e morais sejam parte das leis naturais. Em muitas mentes as leis naturais têm sido confundidas com a lei humana, e o julgamento arbitrário da legislação humana foi transferido para o âmbito da lei natural. Leis que afetam fenômenos físicos livraram-se dessa arbitrariedade através da ciência, mas tanto o mundo mental como o mundo moral ainda são um caos de ilegitimidade. Não é uma ordem arbitrária de Deus, mas a imanência da natureza divina que condiciona a nossa existência, e onde quer que os profetas tenham decretado leis morais, estas foram manifestações de inevitáveis consequências para o mundo moral, conhecido pelos profetas e desconhecido por seus ouvintes ignorantes. Por causa dessa ignorância, os ouvintes transformaram essas manifestações em ordens arbitrárias de um legislador divino, enviadas através dele, em vez de considerá-las simples declarações de fatos concernentes à sucessão de fenômenos morais em uma área tão organizada como a física.

A lei, em seu sentido social secundário, é um decreto escrito por alguma autoridade considerada legítima. Pode ser o decreto de um autocrata ou o ato de uma assembleia legislativa. Em ambos os casos, a força da lei depende de se reconhecer a autoridade que a impõe. Entre os hindus, encontramos ideias e leis feitas pelo homem como leis naturais. O rei, na concepção de Manu, é um autocrata, e os vassalos devem obedecer, mas acima do rei existe uma lei que atua automaticamente e faz parte da natureza das coisas. A despeito da sua autocracia, o rei fica tolhido pela lei suprema, que o esmagará, se ele a desconsiderar. A fraqueza oprimida – dizem – é o inimigo mais fatal dos reis: porque as lágrimas do fraco podem sabotar a base dos tronos, e o sofrimento da nação destrói o governante. Os mundos físico e superfísico se interpenetram, e isso faz com que o que aconteça em um deles venha a ter resultados no outro. O rei e o seu conselho, na antiga Índia, faziam as leis do Estado, mas eram leis artificiais, não leis naturais; elas obrigavam os vassalos e eram impostas com penalidades. Eram, porém, leis inteiramente diferentes da lei natural. É uma pena que a mesma palavra deva ser usada para definir duas coisas tão diferentes como leis naturais e artificiais, apesar de elas poderem ser nitidamente reconhecidas por suas características.

As leis artificiais são mutáveis: os que as fazem podem alterá-las ou revogá-las. As leis naturais são imutáveis: não podem ser alteradas nem revogadas, pois fazem parte da natureza das coisas. As leis artificiais são locais, enquanto que as naturais são universais. Em qualquer país, o roubo pode ser castigado com alguma penalidade escolhida pelo legislador. Às vezes, corta-se a mão do culpado, às vezes mandam-no para a prisão, outras vezes o enforcam. Apesar disso, a aplicação da penalidade depende da descoberta do crime. Como se trata de uma penalidade variável e artificial, da qual é possível escapar, não está, obviamente, relacionada, do ponto de vista da causa, com o crime que pretende punir. A lei natural não tem penalidades, mas uma condição segue-se invariavelmente à outra: se um homem rouba, sua natureza torna-se a de um cleptomaníaco, a tendência à desonestidade aumenta, a dificuldade em se manter honesto torna-se maior. Essa consequência aparece em todos os países, e o fato de os outros conhecerem ou não o ladrão não faz diferença. A penalidade, que é local e da qual é possível escapar, prova que a lei é artificial, e não natural.

A lei natural é uma sequência de condições: quando determinada condição estiver presente, seguir-se-á invariavelmente uma outra. Se quisermos que apareça a condição nº 2, devemos procurar ou tornar possível a condição nº 1, e então a condição nº 2 se seguirá, como consequência invariável. Essas sequências nunca variam quando deixadas à vontade; contudo, se uma nova condição for introduzida, o resultado será outro. Assim, a água corre por um canal em declive, de acordo com a força da gravidade, e se você despejar água na parte mais alta ela sempre correrá pelo declive. Entretanto, você pode obstruir o fluxo colocando um obstáculo no caminho. Então, a resistência que o obstáculo opõe à força da gravidade a sustenta, mas a força da gravidade permanece ativa, e podemos encontrá-la na pressão que faz contra o obstáculo. A primeira condição é chamada causa; a condição resultante é o efeito. A mesma causa sempre produz o mesmo efeito, contanto que uma outra causa não seja introduzida. Neste último caso, o efeito será o resultado de ambas as causas.

A lei das leis

O karma é a lei natural no sentido lato da expressão. É a Causação Universal, a Lei de Causa e Efeito. Pode-se dizer que ela forma a base de todas as leis especiais, de todas as causas e efeitos. Trata-se da lei natural em todos os seus aspectos e em todas as suas subdivisões. Não é uma lei especial, mas uma condição universal, a lei da qual dependem todas as outras leis, da qual todas as outras leis são expressões parciais. O *Bhagavad Gita* diz que ninguém dotado de corpo pode escapar a ela: iluminados, seres humanos, animais, vegetais, minerais, todos estão evoluindo dentro dessa lei universal. O próprio Logos, encarnado num universo, vem a entrar no amplo alcance dessa lei comum a toda manifestação. Enquanto cada qual estiver relacionado com a matéria, encarnado em matéria, estará sujeito à lei kármica. Um ser pode escapar ou transcender a um ou outro de seus aspectos, mas não pode, enquanto permanecer em manifestação, eximir-se dessa lei.

O eterno agora

Essa Lei Universal de Causação junta, num só todo, tudo o que acontece dentro de uma manifestação, dado que ela representa o inter-relacionamento universal. O inter-relacionamento entre tudo o que existe – isso é karma. Portanto, coexiste, simultaneamente, com o vir à existência de qualquer universo especial. Dessa maneira, o karma é eterno, como o EU Universal é eterno. Esse inter-relacionamento sempre existiu. Ele jamais teve início e jamais terá fim. "O irreal não tem ser; o real nunca deixa de ser." Não existe isoladamente, sozinho, fora de um relacionamento, e karma é a inter-relação de tudo o que existe. Surge durante a manifestação de um universo no que se refere a esse universo, e torna-se latente quando da sua dissolução.

No Todo, tudo *é*, tudo existe sempre. Tudo o que foi, tudo o que agora é manifesto, tudo o que pode ser, todas as possibilidades, bem como todas as atualidades, estão sempre sendo, no Todo. O que é exterior, a existência que vai passando, o revelado, é o universo manifestado. O que *é*, como realidade, embora interior, não revelado, é o universo não manifestado. Mas o que está Dentro, o Não manifestado, é tão real como o que está Fora, o Manifestado. A inter-relação entre seres, dentro ou fora da manifestação, é o eterno karma. Um Ser jamais termina; portanto, o karma jamais termina; ele *é*, sempre. Quando parte daquilo que é simultâneo no Todo se manifesta como um universo, a eterna inter-relação torna-se sucessiva e é vista como causa e efeito. No Ser Único, no Todo, tudo está ligado a tudo, tudo está relacionado com tudo. No universo fenomenal, manifestado, esses vínculos e relacionamentos vão surgindo em acontecimentos sucessivos, ligados pela sua causa à ordem da sua sucessão no tempo, isto é, à medida que aparecem.

Alguns dos estudantes recuam diante de um ponto de vista metafísico desse tipo, mas, a não ser que essa ideia do Ser Eterno, dentro do qual estão todos os seres, seja compreendida, não se pode alcançar o centro. Enquanto pensarmos a partir da circunferência, existe sempre uma indagação por trás de cada resposta, infinitos começos e fins, com um "por quê" atrás de cada começo. Se o estudante quiser fugir a isso, deve, com muita paciência, procurar o centro, e deixar o conceito do Todo mergulhar na sua mente, até que se torne parte sempre presente de seu aparelhamento mental. Então, os universos que se encontram na circunferência tornam-se inteligíveis, e a inter-relação universal entre todas as coisas, vista da simultaneidade do centro, torna-se, naturalmente, causa e efeito nas sucessões sobre a circunferência. Foi dito que o Eterno[1] é como um oceano, que atira universos ao ar, como se fossem ondas. O oceano simboliza o ser sem forma, sempre o mesmo. A onda, pelo fato de ser uma parte, tem forma e atributos. As ondas erguem-se e tombam, desmancham-se em espuma, e seus borrifos são mundos num universo.

Ou podemos pensar em uma imensa catarata, como a do Niágara, onde a massa da torrente se une, antes de cair, quando, então, divide-se em gotas inumeráveis, que refletem separadamente a luz. E as gotas são como mundos. O arco-íris que formam é a vida multicolorida. A água, porém, é uma, enquanto as gotas são muitas. A vida é uma, enquanto os seres viventes são muitos. Deus, manifestado ou não manifestado, é um e o mesmo, embora seja diferente, embora mostre atributos na manifestação, e não os mostre na não manifestação. O LOGOS e Seu universo são um, embora Ele seja a unidade e o universo seja a diversidade. Ele é a vida; o universo é a forma. Na manifestação, o

1. O nome hindu é Brahman, ou, mais exatamente, Nirguna Brahman, o Brahman sem atributos. (N. A.)

karma está latente, porque os seres do manifestado não passam de conceitos no não manifestado. Na manifestação, o karma está ativo, porque todas as partes de um mundo, de um sistema, de um universo, estão inter-relacionadas. A ciência declara que não pode haver movimento algum de uma parte sem afetar o todo; cientificamente, todos nós concordamos com isso. As inter-relações são universais, e nenhuma pode ser rompida, porque o rompimento de uma romperia a unidade do todo. A inviolabilidade da lei natural reside na sua universalidade, e uma brecha na lei, em qualquer parte da lei, significaria o caos universal.

Sucessão

Vimos que, assim como a manifestação de um universo implica a manifestação de uma sucessão de fenômenos, a inter-relação universal torna-se a sequência de causa e efeito. Cada efeito porém, é, por sua vez, uma causa, e isso se repete infinitamente, porque a diferença entre causa e efeito não é da natureza, mas da relação. As inter-relações existentes no pensamento do Eterno tornam-se inter-relações entre os fenômenos do universo manifestado – a porção do pensamento exteriorizada como um universo. Antes da manifestação de qualquer universo especial haverá, no Eterno, o pensamento sobre o universo que vai existir e suas inter-relações. O que existe simultaneamente no tempo e no espaço, no Eterno Agora, aparece, aos poucos, no tempo e no espaço como fenômenos sucessivos.

No momento em que você concebe um universo feito de fenômenos, está obrigado a pensar nesses fenômenos sucessivamente, um após o outro; mas no pensamento do Eterno eles existem sempre, e nele a limitação da sucessão não existe.

Mesmo nos mundos inferiores, onde as medidas do tempo são bem diferentes umas das outras, captamos um vislumbre das limitações crescentes da matéria densa. Mozart nos fala de um estado de inconsciência no qual recebeu uma composição musical como uma única impressão, embora em sua consciência alerta só pudesse reproduzir essa impressão única usando uma sucessão de notas. Ou então podemos olhar para uma pintura e receber uma só impressão mental: uma paisagem, uma batalha; mas uma formiga, movendo-se sobre essa pintura, não veria o todo, mas apenas impressões sucessivas dos trechos que percorresse.

Pelo símile, pela analogia, podemos fazer alguma ideia da diferença de um universo tal como é visto pelo LOGOS e tal como é visto por nós. Para Ele, uma só impressão, um todo perfeito; para nós, uma sequência imensa, que vai se desdobrando devagar. Assim, o que para ele é inter-relação, para nós torna-se sucessão. Em vez de vermos a infância, a juventude e a velhice como um todo, vemos todas essas coisas sucessivamente, dia por dia, ano por ano. O que é simultâneo e universal torna-se sucessivo e particular para as nossas pequenas mentes, movendo-se sobre o mundo como a formiga sobre o quadro.

Suba a uma montanha e volte os olhos para a cidade, e verá como as casas estão relacionadas umas com as outras, em quarteirões, ruas e assim por diante. Mas quando você descer da montanha, precisará passar de rua em rua, vendo cada qual separadamente, sucessivamente. Assim é com o karma.

Vemos as relações apenas uma a uma, e uma depois da outra, sem sequer compreender as relações sucessivas, tão limitada é a nossa visão.

Tais semelhanças nos ajudam, com frequência, a captar as coisas invisíveis, e podem agir como muletas para nossa imaginação vacilante. E, de tudo isso, extrairemos a pedra fundamental para o estudo do nosso karma.

O karma é inter-relação universal, que é vista em qualquer universo como a Lei da Causação, em consequência do sucessivo aparecimento de fenômenos, no vir a ser, ou no aparecimento do universo.

Causação

A ideia de causação tem sido contestada nos tempos modernos. Huxley, por exemplo, sustenta, na *Contemporary Review*, que nós conhecemos apenas a sequência, não a causação. Disse ele que quando uma bola se move, depois de atingida pelo bastão, não diríamos que o golpe do bastão foi a causa do movimento, mas que esse golpe foi seguido pelo movimento. Esse ceticismo extremo foi fortemente demonstrado por alguns dos grandes homens do século XIX em reação contra a pronta credulidade e as muitas suposições não comprovadas da Idade Média. Essa reação teve sua utilidade, mas agora está desaparecendo aos poucos, como sempre acontece com os extremos.

A ideia da causação nasce naturalmente na mente humana, embora não possa ser provada pelos sentidos. Quando um fenômeno for invariavelmente seguido por outro fenômeno durante longos períodos de tempo, os dois se tornam vinculados um ao outro em nossa mente, e quando um aparece, a mente, por associação de ideias, espera o segundo. Assim, o fato de a noite seguir-se ao dia desde tempos imemoriais dá-nos a firme convicção de que o Sol se levantará amanhã, como se levantou em incontáveis ontens. Contudo, a sucessão, por si só, não implica forçosamente uma causação. Não vemos o dia como causa da noite, nem a noite como causa do dia pelo fato de invariavelmente se sucederem um ao outro. Para confirmar a causação precisamos mais do que de uma sucessão invariável. Precisamos que a razão veja aquilo que os sentidos não são capazes de discernir: uma *relação* entre as duas coisas, relação que produz o aparecimento da segunda quando a primeira aparece. A sucessão do dia e da noite não é causada por nenhum desses dois fenômenos: ambos são causados pela relação da Terra com o Sol. Essa relação permanece imutável, e o dia e a noite serão os seus efeitos. Para que se veja uma coisa como causa de outra, a razão deve estabelecer entre elas uma relação que baste para que uma seja produzida pela outra. Então, e só então, poderemos de fato afirmar que houve causação. Aos vínculos que jamais são rompidos, e são reconhecidos pela razão como relação ativa, trazendo manifestações do segundo fenômeno sempre que o primeiro se manifesta, podemos chamar causação. Esses vínculos são a sombra das inter-relações existentes no Eterno, fora do espaço e do tempo, e se estendem sobre a vida de um universo sempre que existam condições para a sua manifestação. A causação é uma expressão da natureza do Logos, uma emanação da Realidade eterna. Sempre que existir interrelação no Eterno, demandando sucessão para sua manifestação no tempo, *há* causação.

As leis da natureza

O próximo passo do nosso estudo consiste na consideração das "Leis da Natureza". O universo inteiro está incluído nas ideias de sucessão e causação, mas quando chegamos àquilo que chamamos de leis da natureza, não temos possibilidade de dizer quais são as áreas sobre as quais elas se estendem. Os cientistas se sentem compelidos a falar cada vez com maior cautela, quando ultrapassam os limites da observação real. Causas e efeitos que são contínuos dentro da área da nossa observação podem não existir em outras áreas; trabalhos que aqui são vistos como invariáveis podem ser interrompidos pela irrupção de alguma causa que esteja fora do que é "conhecido" no nosso tempo, embora provavelmente não esteja fora do que pode ser conhecido. Entre 1850 e 1890 houve muitas exposições positivas quanto à conservação de energia e indestrutibilidade da matéria. Dizia-se existir no universo certa quantidade de energia, incapaz de diminuição ou de aumento; dizia-se que todas as forças eram formas dessa energia e que podiam ser transmudadas de uma para outra; dizia-se ainda que a quantidade de qualquer força conhecida, como o calor, poderia variar, mas não a quantidade total dessa energia.

Assim como o número 20 pode ser formado de 20 unidades, ou de dois 10, ou de cinco 4, ou de 12 mais 8, e assim por diante, sempre com o mesmo total, assim acontece com as várias formas e a quantidade total. No que se refere à matéria, repetimos, declarações semelhantes foram feitas: ela era indestrutível, por isso permanecia sempre na mesma quantidade. Alguns, como Ludwig Buchner, declararam que os elementos químicos são indestrutíveis, que "um átomo de carbono sempre foi um átomo de carbono", e assim por diante.

Com essas duas ideias foi formada a ciência, e elas constituíram a base do materialismo. Agora, entretanto, sabe-se que os elementos químicos são solúveis, e que o próprio átomo pode ser um remoinho no éter, ou talvez um simples buraco onde não haja éter. É possível que haja átomos através dos quais a força flua para dentro, e outros através dos quais a força flua para fora – mas de onde? – para onde? A matéria física não poderá tornar-se intangível, desmanchar-se no éter? O éter não poderá dar nascimento a uma nova matéria? Tudo isso é duvidoso, antes tinha-se certeza disso tudo. Ainda assim um universo tem o seu limite intransponível. Dentro de determinada área só podemos falar com certeza de uma "lei da natureza".

O que é uma lei da natureza? O Sr. J. N. Farquhar, na *Contemporary Review* de julho de 1910, num artigo sobre hinduísmo, declarou que "se os hindus quiserem levar suas reformas adiante devem abandonar a ideia do karma". Isso é como se alguém dissesse que, se um homem pretende voar deve abandonar a ideia de atmosfera. Compreender a lei do karma não significa renunciar à atividade, mas conhecer as condições sob as quais essa atividade é mais bem conduzida. O Sr. Farquhar que, evidentemente, estudou com zelo o *moderno* hinduísmo, não captou a ideia do karma como é ensinada na escritura antiga e na ciência moderna.

Uma lei da natureza não é uma ordem, mas uma exposição de condições. Nunca é demais repetir isso, nem se insiste nisso com excessiva ênfase. A natureza não ordena isto ou aquilo. Ela diz: "Aqui estão certas condições e, onde elas existem, tais e tais resultados invariavelmente se seguirão." Uma lei da natureza é uma sequência invariável. Se você não gostar dos resultados, mude as condições precedentes. Se continuar a ignorá-las, estará sem defesa, à mercê das forças impetuosas da natureza; se as conhecer, será o mestre, e essas forças irão servi-lo obedientemente. Toda lei da natureza é uma força que nos torna capazes e não nos constrange; mas o conhecimento é necessário para que se possa fazer uso de seus poderes.

A água ferve a 100 graus centígrados, sob pressão normal. Essa é a condição. Se você sobe por uma montanha, essa pressão diminui: a água ferve a 95 graus. Bem: água aos 95 graus não faz bom chá. A natureza estará proibindo que você tome um bom chá no topo de uma montanha? Nada disso. Sob pressão normal a água ferve na temperatura necessária para se fazer chá. Se essa pressão diminui, supra a sua falta, aprisionando o vapor que escapa, até que ele acrescente a pressão necessária, e poderá fazer o seu chá com água a 100 graus. Se quiser obter água com a união de hidrogênio e oxigênio, você precisa de uma certa temperatura, e poderá obtê-la com uma faísca elétrica. Se insistir em manter a temperatura a zero, ou em substituir o hidrogênio por nitrogênio, não poderá obter água.

A natureza expõe as condições que bastam à produção de água, e você não pode modificá-las. Ela não fornece nem esconde a água: você é livre para obtê-la ou para ficar sem ela. Se a deseja, deve reunir os itens necessários, e assim realizar as condições exigidas. Sem essas condições, nada de água. Com elas, você inevitavelmente terá água. Você está preso ou é livre? É livre para obter as condições; está preso quanto aos resultados, quando as tiver obtido. Sabendo disso, diante de uma dificuldade, o cientista não fica sentado, indefeso; busca as condições sob as quais poderá obter o resultado desejado, aprendendo a estabelecer as condições, certo de que pode confiar nos resultados.

Uma lição da lei

Essa é a grande lição ensinada pela ciência à atual geração. De há muito, muito tempo, as religiões ensinaram isso dogmaticamente mais do que racionalmente. A ciência prova que o conhecimento é a condição da liberdade e que só quando o homem tiver conhecimento é que poderá se impor. O homem de ciência observa as sequências. Realiza repetidamente os testes da sua experiência e elimina tudo o que é casual, colateral, irrelevante. E devagar, com segurança, descobre o que constitui uma invariável sequência causativa. Uma vez seguro dos fatos, age com certeza indubitável, e a natureza, sem sombra de recuo, recompensa com o sucesso a racionalidade da sua segurança.

Dessa segurança nasce a "sublime paciência do pesquisador". Luther Burbank, na Califórnia, semeará milhões de sementes, selecionará alguns milhares de plantas, cruzará algumas delas, e assim marchará, pacientemente, para os seus fins. Ele pode confiar nas leis da natureza, e, se falhar, saberá que o erro partiu dele, não delas.

Há uma lei da natureza que dá às massas de matéria a tendência de mover-se na direção da terra. Deveria eu dizer, então: "Não posso subir escadas? Não posso voar no ar?" Não. Há outras leis. Eu oponho à força que me prende ao chão uma outra força armazenada em meus músculos, e, por esse meio, levanto o meu corpo. Uma pessoa cujos músculos estejam enfraquecidos pela febre pode ter de ficar no chão, indefesa. Eu, porém, rompo essa lei, conclamo a força muscular e subo as escadas.

A inviolabilidade da Lei não retém – a Lei liberta. Ela torna a Ciência possível e racionaliza o esforço humano. Num universo sem lei, o esforço seria vão, a razão seria inútil. Seríamos selvagens, tremendo sob o aperto de forças estranhas, incalculáveis, terríveis. Imagine-se um químico num laboratório onde o hidrogênio é agora inerte, mas logo mais se tornará explosivo, em que o oxigênio proporciona vida hoje e sufoca amanhã! Num universo sem lei não ousaríamos fazer um só movimento, pois não saberíamos qual seria a ação que ele iria provocar. Nós nos movemos com segurança, é verdade, porque contamos com a inviolabilidade da lei.

O karma não esmaga

O karma é a grande lei da natureza, com tudo o que isso implica. Assim como podemos nos mover no universo físico com segurança, conhecendo suas leis, também podemos nos mover nos universos mental e moral com segurança, na medida em que aprendermos as suas leis. No que se refere aos seus defeitos morais mentais, a maioria das pessoas está de fato na posição do homem que desiste de subir escadas por causa da lei da gravidade. Elas se sentam, impotentes, e dizem: "Essa é a minha natureza. Não posso evitá-la." Na verdade, essa *é* a natureza do homem, a que ele criou no passado, e que representa o "seu karma". Com o conhecimento do karma, entretanto, o homem pode modificar a sua natureza, tornando-a, amanhã, diferente do que é hoje. Ele não está preso a um destino inevitável, imposto de fora; ele vive num mundo sujeito a determinadas leis, repleto de forças naturais que ele pode utilizar para alcançar o estado de coisas que deseja ter. Conhecimento e vontade – eis do que esse homem precisa. Ele precisa compreender que o karma não é uma força que esmaga, mas a manifestação de condições a partir das quais os resultados crescem. Enquanto ele viver descuidadamente, de uma forma leviana, será como um homem boiando num regato, batido por qualquer tronco que passe, empurrado por qualquer sopro casual de vento, apanhado por qualquer remoinho inesperado. Isso significa fracasso, desgosto, infelicidade. A lei dá-lhe possibilidade de alcançar com sucesso os seus fins, e coloca ao seu alcance forças das quais pode se utilizar. Ele pode modificar, mudar, refazer em outras linhas a natureza do que é inevitável, resultado de seus desejos anteriores, de seus pensamentos e ações: essa natureza futura é tão inevitável quanto a presente, sendo o resultado das condições que esse homem prepara agora, deliberadamente. "O hábito é uma segunda natureza", diz o provérbio, e o pensamento cria hábitos. Onde existe a Lei nenhuma realização é impossível, e o karma é a garantia da evolução do homem rumo à perfeição mental e moral.

Precisamos, agora, aplicar essa lei à vida humana comum, aplicar o princípio à prática. A perda da relação clara entre os princípios eternos e os acontecimentos transitórios foi o que tornou a religião moderna tão inoperante na vida comum. Um homem limpará seu quintal quando compreender a relação entre a sujeira e a doença; mas deixa seu quintal mental e moral sem limpeza, porque não vê a relação entre seus defeitos morais e mentais e as terríveis experiências do após-morte com que as religiões o ameaçam. Por isso, ou ele não acredita nas ameaças e segue descuidadamente seu caminho, ou espera fugir às consequências fazendo um pacto artificial com as autoridades. Em ambos os casos, ele não limpa o caminho. Quando compreender que a lei é tão inviolável nos mundos mental e moral como no mundo físico, é possível esperar-se que ele se torne razoável nos primeiros dois mundos, como já é no último deles.

O homem nos três mundos

O homem, como sabemos, vive normalmente em três mundos: o físico, o emocional e o mental, e é colocado em contato com cada um desses mundos através de um corpo fornecido por esse tipo de matéria. E atua em cada um desses mundos por meio de um corpo apropriado. Portanto, ele cria resultados em cada um desses corpos, de acordo com as respectivas leis e poderes, e todos eles estão dentro dos limites da lei do karma que tudo abrange. Durante sua vida diária, quando acordado, o homem está criando "karma", isto é, resultados, nesses três mundos, a que chega pela ação, pelo desejo e pelo pensamento. Quando seu corpo físico está adormecido, o homem está criando karma em dois mundos – o emocional e o mental – e a quantidade de karma então criado por ele depende do estágio de sua evolução.

Podemos nos restringir a esses três mundos, porque os que estão acima deles não são habitados conscientemente pelo homem comum; mas devemos, apesar disso, lembrarmo-nos de que somos como árvores, cujas raízes estão fixadas em mundos mais altos e cujos galhos espalham-se para os mundos inferiores em que vivem os nossos corpos mortais, e nos quais nosso discernimento está trabalhando.

As leis trabalham dentro de seus próprios mundos, e devem ser estudadas como se sua atuação fosse independente. Tal como cada ciência estuda as leis que funcionam dentro do seu departamento, mas não esquece o trabalho mais amplo de condições de maior alcance, o homem, quando está trabalhando em três departamentos – o físico, o emocional e o mental – lembra-se da extensão da lei que inclui todos eles dentro da sua área de atividade. Em todos os departamentos as leis são invioláveis, imutáveis, e cada uma delas produz seus efeitos totais, embora o resultado final da sua interação seja a força eficiente que permanece quando todo o equilíbrio de forças opositoras foi alcançado. Tudo quanto é verdade no que se refere às leis em geral é verdade para o karma, a grande lei. Estando presente a causa, os acontecimentos devem seguir-se. Retirando ou acrescentando causas, entretanto, eles podem modificar-se.

Uma pessoa se embriaga. Acaso poderá dizer: "Meu karma é embriagar-me"? Essa pessoa embriagase devido a certas tendências que tem, por causa da presença de companheiros libertinos e graças a um ambiente onde a bebida é vendida. Suponhamos que essa pessoa deseje dominar esse hábito pernicioso. Ela conhece as três condições que a levaram à embriaguez. Pode dizer: "Não sou forte o bastante para resistir às minhas tendências quando estou na presença da bebida e na companhia de libertinos. Não irei mais a lugares onde há bebidas, nem andarei mais com homens que me estimulem a beber." Ela muda as condições, eliminando duas delas, embora não consiga eliminar imediatamente a terceira, e o novo resultado é que ela não se embriaga mais. Ela não estará "interferindo em seu karma", mas confiando nele, e um amigo seu estará "interferindo no karma dela" se a convencer a se manter distante de companheiros de farra. Não há ordem kármica para que um homem se embriague; o que existe é apenas a presença de certas condições em cujo meio ele certamente irá embriagar-se. Há, na verdade, uma outra forma de modificar essas condições: o desenvolvimento de uma vigorosa força de vontade. Isso também introduz uma condição nova, que modificará o resultado – por adição, e não por eliminação.

No único sentido em que um homem pode "interferir" com as leis da natureza ele tem completa liberdade para fazer isso, tanto quanto quiser e puder. Ele pode inibir a gravidade através de um esforço muscular. Nesse sentido, ele pode interferir no karma tanto quanto quiser, e deve interferir quando os resultados forem contestáveis. Esta expressão, entretanto, não é feliz, sendo possível que seja mal compreendida.

A lei é a seguinte: determinadas causas trazem determinados resultados. A lei é imutável, mas o jogo dos fenômenos está sempre mudando. A causa mais poderosa entre todas as causas é a vontade e a razão humanas, que, apesar disso, são omitidas, na maior parte das vezes, quando as pessoas falam em karma. *Nós* somos causas, porque somos a vontade divina, unos com Deus no nosso ser essencial, embora prejudicados pela ignorância e trabalhando através de matéria grosseira, que emperra a nossa ação, até que consigamos conquistá-la e espiritualizá-la. A imutabilidade do karma não é a imutabilidade dos efeitos, mas da lei, e é isso que nos torna livres. Seríamos escravos de verdade num mundo onde tudo acontece por acaso. Nossa liberdade e segurança dependem do conhecimento que temos desse mundo regido por leis. Na Idade Média, os alquimistas de forma alguma eram livres para chegar aos resultados que desejavam, mas tinham de aceitar os resultados como quer que viessem, imprevistos e, na maioria deles, indesejados, mesmo que isso representasse os seus mais sérios prejuízos. O resultado da experiência poderia ser um produto útil, ou reduzir o experimentador a fragmentos. Roger Bacon colocou em ação causas que lhe custaram um olho e um dedo, e, em certa ocasião, essas causas atiraram-no ao chão da sua cela, desacordado. Fora daquilo que conhecemos estamos sempre em perigo, e qualquer causa que ponhamos em ação pode nos desgraçar, porque, a maioria de nós, nos mundos mental e moral, somos Rogers Bacons. Dentro do nosso conhecimento podemos ter movimentos livres e seguros, tal como os bem treinados químicos modernos. Em todos os três mundos nos quais vivemos é igualmente verdade que, quanto mais sabemos, mais podemos prever e controlar. Visto que a lei é inviolável e imutável, o conhecimento é uma condição indispensável para a liberdade. Estudemos, então, o karma, e usemos o nosso conhecimento na orientação da nossa vida. São muitas as pessoas que dizem: "Oh! Como eu gostaria de ser boa!", e não usam a lei para criar as causas que têm como resultado a bondade. É como se um químico dissesse: "Oh! Como eu desejo ter água!", e não fosse em busca das condições que produzissem essa água tão desejada.

Devemos recordar, novamente, que cada força atua em sua linha específica, e que quando certo número de forças se intrometem num ponto específico, a força resultante é a consequência de todas elas. Em nossos dias de escola, aprendemos como se constrói um paralelograma de forças e assim descobrimos a resultante da sua composição; o mesmo se dá com o karma, quando podemos entender o conflito de forças e sua composição para obter um único resultado. Ouvimos pessoas perguntando por que um homem bom fracassa nos negócios, enquanto um mau homem obtém sucesso. Não há, entretanto, uma conexão causal entre bondade e ganho de dinheiro. Bem, poderíamos dizer: "Sou um homem muito bom, por que não posso voar pelos ares?" A bondade não é causa para o voo, nem para trazer dinheiro. Tennyson tocou numa grande lei, em seu poema "Salário", quando declarou que o salário da virtude não era o "pó", nem o repouso, nem o prazer, mas a glória de uma imortalidade ativa. "A virtude é a sua própria recompensa", no mais alto sentido dessas palavras. Se você for autêntico, sua recompensa está no fato de a sua natureza tornar-se mais verdadeira; isso acontece, sucessivamente, com cada virtude. Os resultados kármicos só podem ser da mesma natureza das suas causas. Eles não são arbitrários, como as recompensas humanas.

A compreensão da verdade

Isso parece óbvio. De onde, então, surge o instinto geral de que a bondade, na vida, deve ser seguida de sucesso? Podemos combater um erro com êxito apenas quando compreendemos a verdade que está no cerne desse erro, dando-lhe vitalidade e levando-o à sua expansão e persistência. A verdade, nesse caso, é que, colocando-se de acordo com a lei divina, o homem terá a felicidade, como resultado dessa harmonia. O erro está em identificar o sucesso mundano com a felicidade, pondo de lado o elemento tempo. Um homem que vai entrar no ramo dos negócios resolve ser honesto, resolve não procurar tirar vantagens injustas dos outros. Ele vê os que são desleais e inescrupulosos passarem à sua frente; se for fraco, sentir-se-á desencorajado e, talvez, se resolva a imitá-los. Se for forte, dirá: "Trabalharei em harmonia com a lei divina, não importa quais sejam os resultados terrenos." Daí por diante, a paz interior e a felicidade estarão com ele, mas ele não terá sucesso. Apesar disso, com o correr do tempo, até isso pode acontecer com ele, porque o que ele perde em dinheiro ganha em confiança, entretanto o homem que trai uma vez, pode trair novamente a qualquer tempo, e ninguém mais confiará nele. Numa sociedade competitiva, a falta de escrúpulos traz sucesso imediato, enquanto numa sociedade cooperativa a consciência "valerá a pena". Dar salários de fome aos trabalhadores forçados pela competição a aceitá-lo pode levar a um sucesso imediato sobre os rivais nos negócios, e o homem que paga salários decentes para os empregados pode ver-se ultrapassado na corrida para a riqueza, mas com o tempo terá melhor rendimento de trabalho e, no futuro, contará com uma colheita de felicidade, pois para isso lançou a semente. Temos de decidir sobre a nossa conduta e aceitar seus resultados, sem reconhecer nem o dinheiro, nem a injustiça como pagamento da bondade, enquanto a astúcia inescrupulosa obtém aquilo que busca.

Uma história hindu, instrutiva, se não agradável, fala sobre um homem que tinha prejudicado a outro. O prejudicado foi pedir justiça ao rei. Quando lhe foi dito que ele próprio deveria escolher a punição a ser dada ao seu inimigo, o homem pediu ao rei que enriquecesse aquele que o prejudicara. Quando lhe perguntaram a razão do seu estranho comportamento, com um riso sardônico ele disse que a fortuna e a prosperidade terrena dariam àquele homem a oportunidade de fazer o mal, e assim acarretariam para ele amargo sofrimento na vida após a morte. O pior inimigo da virtude costuma ser uma situação material folgada, e essa situação, que é vista como um bom karma, muitas vezes é, ao contrário, um mau karma em seus resultados. Muitas pessoas que vivem razoavelmente na adversidade, desmandam-se na prosperidade, e se intoxicam com os deleites terrenos.

Vamos considerar de que forma um homem afeta o seu ambiente, ou, para usar uma frase científica, de que forma um organismo atua no seu ambiente.

O homem afeta o seu ambiente de inúmeras maneiras, que podem, todas, ser classificadas em três formas de autoexpressão: afeta-o pela Vontade, pelo Pensamento e pela Ação.

O homem evoluído tem a possibilidade de reunir energias e de fundi-las numa única, pronta para destacar-se dele e causar ação. Essa concentração das suas energias numa força única, mantida em suspenso no seu interior, presa e pronta para extroverter-se, é a Vontade, que é uma concentração interior, uma forma da tríplice autoexpressão. Nos reinos subumanos e nas divisões mais inferiores do humano, os objetos que dão prazer e os que infligem dores em torno da criatura viva sugam suas energias, e chamamos essas energias multifárias, vindas à tona pelos objetos externos, de seus desejos, sejam de atração ou de repulsão. Só quando todas essas energias são atraídas, unidas e dirigem sua mira para um único fim é que podemos chamar essa energia, pronta para manifestar-se, de Vontade. Essa Vontade é a *Autoexpressão*, isto é, a expressão dirigida pelo Eu superior. O Eu superior determina a linha a ser tomada, baseando sua determinação na experiência própria. Nos mundos humanos, sejam subumanos, sejam inferiores, os desejos são fatores importantes do karma, dando nascimento aos resultados mais variados; no mundo superior, a Vontade é a causa kármica mais vigorosa e, à medida que o homem transforma desejos em Vontade, ele "governa as estrelas".

A forma de Autoexpressão chamada Pensamento pertence ao aspecto do Eu superior pelo qual o homem se torna ciente do mundo exterior, o aspecto da Cognição. Com ele, o homem obtém conhecimento, e a atuação do Eu superior sobre o conhecimento obtido e o Pensamento. Isso, repito, é um importante fator no karma, pois é criativo, e, como sabemos, constrói o caráter.

A forma de Autoexpressão que afeta diretamente o ambiente, a energia que emana do Eu superior, é Atividade, a ação do Eu superior sobre o Não Eu superior. O poder de concentrar todas as energias numa só Vontade, o poder de se tornar ciente do mundo exterior é a Cognição; o poder de afetar o mundo exterior é a Atividade. Essa atividade, ou ação, é inevitavelmente seguida por uma reação vinda do mundo exterior – o karma. A causa interior da reação é a Vontade; a natureza da reação é devida à Cognição; o provocador imediato da reação é a Atividade. Essas três coisas tecem os fios da corrente kármica.

Os três destinos

"Deus criou o homem à sua própria imagem", diz uma Escritura Hebraica, e as Trindades das grandes religiões são os símbolos dos três aspectos da consciência divina refletida na triplicidade do ser humano. O Primeiro Logos dos teosofistas, o Mahadeva dos hindus, o Pai do Cristão, têm a Vontade como característica predominante, e ela faz sentir o poder da soberania, a Lei pela qual o universo é construído. O Segundo Logos, Vishnu, o Filho, é Sabedoria, poder que tudo sustenta e tudo permeia e pelo qual o universo é preservado. O Terceiro Logos, Brahman, o Espírito Santo, é o Agente, o poder criador, pelo qual o universo é levado à manifestação. Nada existe na consciência divina ou humana que não se encontre dentro de uma dessas formas de Autoexpressão.

Repetindo: a matéria tem três qualidades fundamentais, que correspondem, separadamente, a cada uma dessas formas de consciência. Sem elas, a matéria não poderia se manifestar, assim como a consciência não poderia se expressar. Ela tem inércia (*tamas*), o fundamento de tudo, a estabilidade necessária à existência, a qualidade que corresponde à Vontade. Tem mobilidade (*rajas*), a capacidade de ser movida que corresponde à Atividade. Tem ritmo (*sattva*), o equalizador do movimento (sem o qual o movimento seria caótico, destrutivo), que corresponde à Cognição. O sistema Ioga, considerando tudo do ponto de vista da consciência, chama a essa qualidade rítmica "cognoscibilidade", que leva essa matéria a ser conhecida como Espírito.

Tudo isso está na nossa consciência, afetando o ambiente, e todo o ambiente afeta a nossa consciência, constrói o nosso mundo. A inter-relação entre a nossa consciência e o nosso ambiente é o nosso karma. Com essas três formas de consciência, tecemos nosso karma individual, a inter-relação universal entre o Eu superior e o Não Eu superior, especializada por nós nessa inter-relação individual. Quando nos erguemos acima da separatividade, o individual torna-se de novo a inter-relação universal, mas essa inter-relação universal não pode ser transcendente enquanto durar a manifestação. Essa especialização do universal e a posterior universalização do especial constroem os "eternos caminhos do mundo": a Trilha do Atual, para ganhar experiência; a Trilha do Retorno, trazendo para casa feixes de experiências. Essa é a Grande Roda da Evolução, tão inflexível quando observada do ponto de vista da matéria e tão bela quando observada do ponto de vista do Espírito. "A vida não é um grito, é uma canção."

Um par de tríades

Assim, temos três fatores no espírito para a criação do karma e três qualidades correlativas na matéria. Precisamos estudá-los a fim de fazer do nosso karma o que queremos que ele seja. Podemos estudá-los em qualquer ordem, mas, por diversas razões, é conveniente tratar do fator cognitivo em primeiro lugar, porque nele está o poder de conhecimento e de escolha. Podemos mudar nossos desejos usando o pensamento; não podemos mudar nosso pensamento, embora possamos colori-lo, usando o desejo; assim, em última análise, a ação é posta em movimento pelo pensamento.

No mais recuado estágio de primitivismo, tal como o da criança recém-nascida, a ação é causada pela atração e pela repulsão. Porém, quase imediatamente, a memória interfere: a lembrança de uma atração provoca o desejo de senti-la, e a lembrança de uma repulsa, o desejo de evitá-la. Uma coisa deu prazer e é lembrada, isto é, pensada; é desejada, e segue-se a ação para obtê-la. Essas três coisas realmente não podem ser separadas, porque não há ação que não seja precedida pelo pensamento e pelo desejo, e que não os ponha em movimento outra vez, depois de executada. A ação é o sinal exterior do pensamento invisível e do desejo invisível, e sua própria realização dá nascimento a um novo pensamento e a um novo desejo. Os três formam um círculo, perpetuamente retraçado.

Pensamento, o construtor

O pensamento trabalha sobre a matéria. Cada mudança de conscientização é recompensada com uma vibração da matéria, e uma mudança semelhante, embora frequentemente repetida, traz vibração idêntica. Essa vibração é mais forte na matéria que está mais próxima de nós, e a matéria que está mais próxima de nós é a do nosso corpo mental. Se você repetir um pensamento, ele repete a vibração correspondente e, assim, quando a matéria tiver vibrado de uma forma particular uma vez, é mais fácil para ela vibrar de novo do mesmo modo do que uma forma nova; e quanto mais você repetir esse pensamento, com maior presteza terá a resposta vibratória. Dentro em breve, depois de muita repetição, a tendência estará instalada na matéria do seu corpo mental, para repetir automaticamente, por conta própria, essa vibração. Quando isso acontece – já que na conscientização a vibração da matéria e a do pensamento estão inseparavelmente ligadas – o pensamento aparece na mente sem qualquer atividade prévia por parte da consciência.

Desde que você pensou em alguma coisa – uma virtude, uma emoção, um desejo – e, deliberadamente, chegou à conclusão de que é uma coisa desejável possuir essa virtude, sentir essa emoção ou ser movido por esse desejo, você, serenamente, põe-se a trabalhar no sentido de criar o hábito de pensar.

Você pensa nisso de propósito todas as manhãs, durante uns poucos minutos, e logo observa que o pensamento nasce em você espontaneamente (consequência da referida atividade automática da matéria). Você persiste na criação do pensamento, até ter formado um vigoroso hábito de pensar, hábito que só pode ser transformado por um processo igualmente longo de pensar no sentido oposto. Mesmo contra a oposição da vontade, o pensamento retorna à mente – como várias pessoas percebem quando não conseguem dormir em consequência da volta involuntária de pensamentos importunos. Se você estabeleceu o hábito, digamos, da honestidade, automaticamente agirá com honestidade, e se certa rajada de desejo o arrasta à desonestidade em alguma ocasião, o hábito da honestidade irá atormentá-lo como você jamais atormentaria um ladrão contumaz. Você criou o hábito da honestidade; o ladrão não tem esse hábito; portanto, você sofre mentalmente quando o hábito é rompido ao passo que o ladrão nada sofre. A persistência no fortalecimento desse hábito mental até que ele se torne mais forte do que qualquer força que possa surgir para pressioná-lo cria o homem confiável: ele, literalmente, *não pode* mentir, *não pode* roubar; ele construiu para si mesmo uma virtude inexpugnável.

Pelo pensamento, então, você pode adquirir qualquer hábito que resolva obter. Não há virtude que você não possa criar pelo pensamento. As forças da natureza trabalham com você, porque você sabe como usá-las e elas se tornam suas reservas.

Se você ama seu marido, sua mulher, seu filho, sabe que essa emoção de amor leva felicidade aos que a sentem. Se espalhar o amor para os outros, o resultado será um aumento de felicidade. Vendo isso, você, que deseja a felicidade de todos, deliberadamente começa a pensar em dar amor para os outros, num círculo cada vez maior, até que essa atitude de amor seja a sua atitude normal com relação a tudo e a todos. Você criou o hábito do amor e generalizou uma emoção fazendo dela uma virtude, porque a virtude é apenas uma boa emoção que se tornou geral e permanente.

Tudo está sob a lei: você não pode obter capacidade mental ou virtude moral sentado, parado, nada fazendo. Você pode obter ambas essas coisas com pensamento firme e perseverante. Pode construir sua natureza moral e mental pensando, porque "o homem é criado pelo pensamento; ele se torna aquilo que ele pensa, portanto, pense"[1] naquilo que deseja ser, e, inevitavelmente, isso virá ao seu encontro. Assim, você irá tornar-se um atleta mental e moral, e seu caráter crescerá rapidamente: você elaborou no passado o caráter com que nasceu; agora você está elaborando o caráter com que irá morrer, *e com o qual voltará*. Isso é o karma. Cada qual nasce com um caráter, e o caráter é a parte mais importante do karma. O muçulmano diz que "o homem nasce com seu destino enrolado no pescoço", visto que o destino de um homem depende unicamente do seu caráter. Um caráter forte pode dominar as circunstâncias mais desfavoráveis e ultrapassar os obstáculos mais difíceis. Um caráter fraco é abatido pelas circunstâncias e fracassa diante do mais trivial dos obstáculos.

1. Veja *The Science of the Emotions*, de Bhagavan Das.

A meditação prática

Toda a teoria da meditação está apoiada sobre essas leis do pensamento, pois meditação nada mais é que o pensamento deliberado e persistente dirigido a um alvo específico, sendo, assim, uma poderosa causa kármica. Usando o conhecimento e o pensamento para modificar o caráter, você pode obter, rapidamente, o sucesso desejado. Se nasceu covarde, pode pensar em si próprio como um homem corajoso; se nasceu desonesto, pode pensar em si próprio como honesto; se nasceu mentiroso, pode pensar em si próprio como verdadeiro. Tenha confiança em si mesmo e na lei. Há um outro ponto que você não deve esquecer. O pensamento concreto encontra sua realização na ação, e se você não traduzir em ação o seu pensamento, por reação natural, estará enfraquecendo-o.

Na linha do pensamento, uma ação persistente deve seguir-se a ele; de outro modo o progresso será lento.

Compreenda então que, embora você não possa evitar o caráter com que nasceu, e apesar de isso ser um fato que deve influenciar profundamente o seu destino presente, marcando a sua linha de atividade nesta vida, ainda assim você pode, pelo pensamento e pela ação nele baseada, modificar esse caráter inato, eliminar as suas fraquezas, suprimir as suas falhas, fortalecer as suas boas qualidades e ampliar a sua capacidade. Você nasceu com determinado caráter, mas pode mudá-lo. O conhecimento lhe é oferecido como forma de fazer essa mudança, e cada qual deve levar esse conhecimento à prática por si mesmo.

Vontade e desejo

Ficaram, para posterior consideração, a Vontade e o Desejo. Vontade é a energia instigada para a ação; quando ela é atraída ou repelida por objetos externos, chamamo-la desejo, o aspecto inferior da Vontade, como o pensamento é o aspecto inferior do Conhecimento, da Cognição. Se um homem, diante de um objeto que lhe dá prazer, agarra-o sem pensar, está sendo movido pelo desejo; se esse homem se contém, dizendo: "Não devo aproveitar isso agora porque tenho dever a cumprir", está sendo movido pela Vontade. Quando a energia do Eu superior é controlada e guiada pela razão reta, ela é Vontade; quando se precipita, desenfreada, levada de cá para lá por objetos atraentes, ela é Desejo.

O Desejo nasce espontaneamente em nós: gostamos de uma coisa, detestamos outra, e nossa simpatia ou antipatia são involuntárias, não estão sob o controle da Vontade ou da Razão.

Podemos inventar razões para elas, quando queremos justificá-las, mas elas são elementares, racionais, são anteriores ao pensamento. Contudo, nem por isso deixam de poder ser controladas, modificando-se, embora não diretamente.

Considere-se o paladar físico: uma azeitona, conservada em salmoura, é oferecida a uma criança, e geralmente é rejeitada com repugnância. Mas é moda gostar de azeitonas e os jovens teimam em comê-las, resolvidos a gostar delas; e em breve acabam por apreciá-las. Eles mudaram sua aversão por apreciação. Como foi feita a mudança? Pela ação da Vontade, dirigida pela mente.

Vitória sobre o desejo

Podemos modificar os desejos pelo pensamento. O desejo-natureza com o qual nascemos é bom, ou indiferente, e segue o seu próprio caminho durante a infância. Logo depois, nós o examinamos, e achamos certos desejos bons e outros inúteis, ou mesmo nocivos. Fazemos, então, uma imagem mental do desejo-natureza que seria útil e nobre e, deliberadamente, começamos a trabalhar para criá-lo pelo poder do pensamento. Há alguns desejos físicos que, segundo observamos, trarão doença se não forem controlados: comer em demasia para agradar o paladar; beber bebidas alcoólicas porque estimulam e animam ; ceder aos prazeres do sexo. Vemos, em outras pessoas, que essas coisas causam obesidade, abalam os nervos e levam à exaustão prematura. Resolvemos não ceder a elas; freamos os cavalos dos sentidos e, deliberadamente, os mantemos assim, embora eles se rebelem; se forem muito indóceis, recorreremos à imagem do glutão, do bêbado, do libertino alquebrado, e assim criaremos repulsa pelas causas que os levaram a ser o que agora são. É assim com todos os outros desejos. Escolha e encoraje, deliberadamente, os que o levam a prazeres primorosos e inspiradores, e rejeite os que resultem no embrutecimento do corpo e da mente. Haverá falhas na sua resistência, mas, apesar das falhas, persista. De início, você cederá ao desejo e apenas tarde demais irá lembrar-se de que tinha resolvido abster-se; persevere. Em breve, o desejo e a lembrança da boa resolução surgirão juntos, e haverá um período de luta – seu *Kurukshetra*[1] –; às vezes você terá sucesso, outras vezes falhará; persevere. Então, os desejos morrerão e você os observará, ao lado da sua sepultura, receando que estejam apenas em estado de letargia, e revivam. Finalmente, você se verá livre para sempre dessa forma de desejo. Trabalhou com a lei e obteve a vitória.

1. *Kurukshetra* – Cidade e região consideradas sagradas pelos hindus, onde existe um tanque sagrado, que dizem ter sido construído por Raja Kuru, ancestral dos Kurava e Pandavas, imortalizados no épico Mahabharata.

Dois pontos mais

1. Às vezes os estudantes se perturbam porque cedem em sonho a um vício que consideravam dominado, ou sentem o despertar de um desejo que já acreditavam extinto. O conhecimento destruirá o problema. Num sonho, o homem está em seu corpo astral, e um despertar do desejo, fraco demais para causar vibração material, física, causará uma vibração na massa astral; se o sonhador resistir, como depressa o fará se se determinar a fazê-lo, o desejo cessará. Mais tarde, ele deveria se lembrar que esse desejo terá deixado por algum tempo exausto o corpo astral, que antes fora usado no momento em que o desejo surgiu, mas que agora, pelo desuso, está em processo de desintegra-

ção. Pode acontecer que o corpo astral seja temporariamente vivificado por uma forma-desejo passageira, causando, assim, vibração artificial. É coisa que pode acontecer a qualquer homem, esteja ele dormindo ou acordado. Trata-se apenas do movimento artificial de um cadáver. Que esse homem o repudie: "Você não vem de mim. Saia daqui", e a vibração cessará.

2. O guerreiro que está combatendo o desejo não deve deixar que sua mente se fixe em objetos que despertem esse desejo. Nisso também o pensamento é criativo. O pensamento acenderá o desejo, e o transformará em vigorosa atividade. Do homem que se abstinha da ação, mas gozava o pensamento, Shri Krishna disse, severamente: "Esse homem iludido é o que se chama de hipócrita." Alimentados pelos pensamentos, os desejos não podem morrer. Irão tornar-se mais fortes pela repressão física, quando alimentados pelo pensamento. É melhor não lutar contra o desejo, é preferível fugir dele. Se aparecer, volte a mente para alguma outra coisa, para um livro, para um jogo, que seja, ao mesmo tempo, atrativo e puro. Combatendo-o, a mente se apega a ele, e assim alimenta-o e fortalece-o. Se você perceber que o desejo tende a acordar, tenha algo à mão a que possa recorrer *imediatamente*.

Assim, ele entrará em inanição, já que não terá alimento por parte de qualquer ação ou pensamento.

Nunca devemos nos esquecer de que os objetos são desejáveis por causa da imanência de Deus. "Nada, que se mova ou não, pode existir privado de Mim." Num certo estágio da evolução, a atração que os desejos exercem se volta para o progresso. Só mais tarde eles são substituídos. A criança brinca com uma boneca, e isso é bom: desperta seu amor materno em germinação. Mas uma mulher adulta brincando com uma boneca seria lamentável. Objetos de desejo atraem emoções que ajudam a desenvolver e a estimular a atividade intelectual. Deixam de ser úteis quando os transcendemos e, deixando de ser úteis, tornam-se prejudiciais.

O efeito de tudo isso sobre o karma se evidencia por si mesmo. Desde que o desejo nos leva a criar oportunidades, e põe ao nosso alcance os objetos do desejo, nossos desejos planejam minuciosamente nossas oportunidades e possibilidades futuras. Abrigando apenas desejos puros e não desejando nada que não possa ser usado para servir, garantimos um futuro de oportunidades para ajudar nossos semelhantes, e de qualidades que serão consagradas ao trabalho do Mestre.

O terceiro fio

Precisamos considerar, agora, de que modo o karma trabalha em relação à atividade, o terceiro aspecto do Eu superior. Nossas atividades – as formas pelas quais afetamos o mundo exterior da matéria – tecem o terceiro fio do nosso karma, e, sob muitos aspectos, ele é o menos importante. Nossos pensamentos e desejos, assim que se extravasam, por produzirem vibrações na matéria mental e astral que nos rodeia, ou por criarem formas-pensamento específicas, bem como formas-desejo, tornam-se atividades, são a nossa ação nos mundos exteriores de vida e forma, de consciência e corpos. No momento em que eles se precipitam para fora, passam a afetar outras coisas e outras pessoas; eles são a ação, ou a reação, conforme seja o caso, do organismo sobre o ambiente. A reação dos nossos pensamentos sobre nós mesmos, como vimos, é a construção do caráter e da faculdade; a reação dos nossos desejos sobre nós mesmos é a conquista de oportunidades, objetos e poder; a reação das nossas atividades sobre nós mesmos é o nosso ambiente, as condições e as circunstâncias, os amigos e os inimigos que nos rodeiam. A circunstância mais próxima, a expressão de parte das nossas atividades passadas, é o nosso corpo físico. Ele é modelado para nós por um elemental especialmente criado para essa tarefa. Nosso corpo é a resposta da natureza para aquela parte da soma das nossas atividades passadas e que podem ser expressas numa única forma material, e a "natureza", aqui, está representada nos Senhores do Karma, os poderosos Anjos do Julgamento, os Registradores do Passado. Trazemos conosco duas partes do karma – a natureza do nosso pensamento e a natureza do nosso desejo, as tendências em germinação que criamos durante a longa extensão do nosso passado. Nascemos com a terceira parte do karma, a que limita a expressão do Eu superior e nos restringe; nossa ação passada no mundo exterior reage sobre nós como a soma das nossas limitações – o nosso ambiente, inclusive o nosso corpo físico.

É provável que um estudo atento das atividades passadas e do ambiente atual traga como resultado o conhecimento de pormenores que não possuímos no momento. Lemos, nas Escrituras Budistas e Hindus, uma quantidade de detalhes sobre esse assunto, provavelmente resultado de meticulosa e cuidadosa observação. Presentemente, nós, estudantes modernos, podemos apenas constatar alguns poucos casos definidos. Crueldade em grau extremo infligida a seres indefesos – sobre hereges, crianças ou animais – reage sobre os inquisidores, os pais e professores desalmados, e sobre os vivisseccionistas, sob a forma de deformidades físicas mais ou menos repulsivas e extremas, de acordo com a natureza e extensão de suas crueldades.

Justiça perfeita

Da agonia física infligida resulta agonia física suportada, porque karma é a restauração do equilíbrio perturbado. O motivo, nesse caso, não suaviza, assim como a dor da queimadura não é aliviada por ter sido adquirida quando se salva uma criança do fogo. Quando um bom motivo existe, embora intelectualmente mal orientado – como salvar almas das torturas do inferno, no caso do inquisidor, ou salvar corpos das torturas das doenças, no caso do vivissecionista – ele mostra seu resultado completo na região do caráter. Assim, podemos encontrar uma pessoa que nasceu deformada com um caráter delicado e paciente, mostrando que em sua vida passada lutou para estar certo e fez o errado. Os Anjos do Julgamento são perfeitamente justos, e o fio de ouro do amor mal compreendido pode brilhar ao lado do fio negro tecido pela crueldade. Não obstante, o fio negro dará ao autor da crueldade um corpo disforme. Por outro lado, quando a cobiça do poder e a indiferença pela dor alheia misturaram suas malignas influências no ato de infligir a crueldade, uma deformação mental e emocional será o resultado. Um caso histórico é o de Marat, que em vez de expiar a crueldade do seu passado, intensificou-a com novas crueldades na própria vida em que estava colhendo a safra do mal desse passado. Doenças hereditárias e congênitas são, também, uma reação contra más ações passadas. O bêbado de uma vida passada nascerá numa família na qual a embriaguez deixou doenças nervosas – a epilepsia, e outras assim. O libertino nascerá numa família infectada por doenças causadas por vícios sexuais. Uma "hereditariedade má" é reação contra atividades erradas do passado. Muitas vezes o homem que está colhendo uma triste safra mostra, em sua natureza moral, que se remiu do mal, embora a safra física permaneça. Paciência inabalável, uma forma doce e resignada de sofrer, mostra que o mal ficou para trás, que a vitória foi ganha, que as feridas recebidas no conflito doem e afligem. Muitos soldados, duramente atingidos em batalhas violentas, permanecem mutilados pelo resto de sua vida física, e ainda assim não lamentam, de qualquer forma, a angústia e a perda, pois estas constituem uma prova de que ele cumpriu gloriosamente seu dever para com a pátria. E esses guerreiros, que assim venceram um combate maior, não precisam lamentar com demasiada amargura a fraqueza ou a deformidade de um corpo que revela suas lutas no passado, mas podem usar pacientemente a insígnia reveladora de um combate contra o mal que conseguiram dominar, sabendo que na outra vida nenhuma cicatriz dessa luta permanecerá.

O nosso ambiente

A nação e a família na qual um homem nasce dão-lhe o campo apropriado para que ele desenvolva as faculdades de que necessita, ou para exercitar as faculdades que recebeu e que são necessárias para ajudar os outros, nesse lugar e nesse tempo. Às vezes, uma trabalhosa vida passada na companhia de superiores, vida que estimulou capacidades latentes, estimulando simultaneamente o crescimento das faculdades em germinação, é seguida por uma outra vida, calma, entre pessoas comuns, a fim de que seja testada a força adquirida e a solidez do aparente domínio sobre o Eu superior. Às vezes, quando um ego chegou a ganhar definitivamente certas faculdades mentais como parte do seu aparelhamento mental pela prática constante, nascerá em lugar onde essas faculdades serão inúteis, e enfrentará tarefas das mais incompatíveis. Uma pessoa ignorante do karma irá irritar-se e encolerizar-se. Realizará, murmurando, suas desagradáveis tarefas, e pensará, pesaroso, em seus "talentos desperdiçados, enquanto o idiota do vizinho ocupa um cargo que não tem capacidade para exercer". Ele não compreende que o vizinho tem de aprender a lição que ele próprio já aprendeu, e que ele próprio não evoluiria mais se continuasse a fazer as coisas que já havia feito. Em situação semelhante, a pessoa que conhece o karma estudará serenamente o ambiente, compreenderá que nada irá ganhar fazendo o que para ele seria fácil fazer, isto é, aquilo que já fez bem no passado, e se voltará, contente, para a tarefa pouco agradável, procurando ver o que essa tarefa pode ensinar-lhe e dispondo-se, resolutamente, a aprender uma nova lição.

O ambiente familiar

O mesmo acontece com o ego que se vê embaraçado com responsabilidades e deveres de família, quando saltaria para a frente, de boa vontade, para atender ao chamado que pede auxiliares para um trabalho maior. Se for um ignorante do karma, ficará irritado contra os laços que o prendem, ou talvez chegue a rompê-los, assegurando, assim, sua volta no futuro. O conhecedor do karma verá nesses deveres as reações às próprias atividades passadas, e as aceitará pacientemente e se desincumbirá bem delas. Ele sabe que quando essas atividades estiverem inteiramente redimidas, irão deixá-lo livre, e que, durante esse tempo, receberá algumas lições que lhe ensinarão o que, para ele, é obrigatório que aprenda. Procurará ver quais são essas lições e irá estudá-las, seguro de que as capacidades que elas proporcionam farão dele um auxiliar mais eficiente quando for livre para responder ao chamado para o qual toda a sua natureza está vibrando.

O conhecedor do karma procurará estabelecer na sua nação e na sua família condições que atrairão para elas egos do tipo nobre e adiantado. Para isso, ele cuidará para que os arranjos da sua casa estejam dentro de escrupulosa limpeza, suas condições de higiene, sua harmonia, seu bom sentimento e amorosa bondade, a pureza de sua atmosfera mental e moral, criem um ímã de atração, trazendo para a sua casa e para o seu relacionamento egos de alto nível, estejam eles à procura de nova encarnação – se pais jovens fizerem parte da família – ou estejam já de posse de um corpo, vindo para a família como futuros maridos e esposas, amigos ou dependentes. Na proporção em que seu poder se estende, ele ajudará a formar condições semelhantes na sua cidade, na sua província, no seu país. Ele sabe que os egos têm de nascer em ambientes apropriados e que, assim, fornecendo bons ambientes, atrairá egos do tipo desejável.

A nossa nação

No que se refere ao ambiente nacional, o conhecedor do karma deve estudar cuidadosamente as condições nacionais em que nasceu, e ver se nasceu ali principalmente para desenvolver qualidades nas quais é deficiente, ou, principalmente, para ajudar essa nação com as qualidades desenvolvidas nele próprio. Em tempos de transição, muitos egos podem nascer numa nação com as qualidades do tipo necessário para as novas condições pelas quais essa nação está passando. Assim, na América têm nascido muitos egos com grande capacidade de organização, com força de vontade altamente desenvolvida e com aguda inteligência comercial. Criaram-se os *trusts*, organizações industriais dotadas de grande capacidade para mostrar as vantagens econômicas de abrir mão das competições, de controlar a produção e o abastecimento, de satisfazer a demanda, mas sem exageros. Abriram, assim, o caminho para o cooperativismo na produção e na distribuição, preparando um futuro mais feliz. Em breve nascerão egos que verão na garantia de conforto para a nação maior estímulo do que no ganho pessoal, e esses egos podem completar o processo de transição: um grupo concentra as forças do individualismo em um ponto; outro grupo irá dirigir essas forças para o bem comum.

Assim é o ambiente governado pelo karma e, com o conhecimento dessa lei, pode-se criar o ambiente desejado. Se o ambiente se apodera de nós assim que nascemos, nem por isso deixa de nos caber a decisão sobre o que será esse novo nascituro. Nosso poder sobre o ambiente futuro está agora em nossas mãos, pois ele é criado pela atividade presente.

Eis aí...

A luz para um homem bom

...Que se vê rodeado de condições infelizes. Ele construiu seu caráter e também construiu as circunstâncias da sua vida. Seus bons pensamentos e desejos fizeram dele o que ele é; sua incompetência criou o ambiente dentro do qual ele sofre. Portanto, que ele não se contente em ser bom, mas trate também de que a sua influência em derredor seja benéfica. Então, isso reagirá sobre ele trazendo-lhe um bom ambiente. Por exemplo: uma mãe muito egoísta estraga o filho cedendo, à sua própria custa, a todos os seus caprichos, impedindo-o de dominar suas inclinações egoístas, alimentando sua natureza inferior e deixando que se definhe sua natureza superior. O filho cresce egoísta, sem controle, escravo de seus próprios caprichos e desejos. Traz infelicidade para o seu lar, talvez lhe traga dívidas e vergonha. Essa é a reação criada pela mãe na sua insensatez, e ela terá de suportar as angústias que daí resultarem.

Um homem egoísta, por outro lado, pode criar para si próprio, no futuro, um ambiente visto como afortunado pelo mundo. Com a esperança de obter um título, ele constrói um hospital, aparelhando-o inteiramente; muitos sofredores ali encontrarão alívio, muitos doentes, prestes a morrer, ali acharão um bálsamo para seu derradeiro instante, muitas crianças serão cuidadas amorosamente para se conservarem sadias. A reação para isso tudo será um ambiente bom e agradável para ele próprio: essa pessoa colherá a safra do bem físico que semeou. Mas seu egoísmo também fez a sua semeadura, e mental e moralmente ele colherá também a sua safra, que será de desapontamento e dor.

O conhecimento da lei

O conhecimento do karma não só possibilitará que um homem construa, como deseja, o seu próprio futuro, mas também o capacitará a entender a ação da lei do karma no caso dos outros, assim podendo ajudá-los com maior eficiência. Só pelo conhecimento dessa lei podemos nos movimentar sem medo e utilmente em mundos onde a lei é inviolável e, estando nos próprios seguros, possibilitamos aos outros a conquista de segurança semelhante. No mundo físico, a supremacia da lei é universalmente admitida, e o homem que desdenha a "lei natural" não é visto como um criminoso, mas como um louco. Igual loucura, e de muito mais longo alcance, seria desdenhar a "lei natural" nos mundos acima do físico, e imaginar que, embora no mundo físico a lei esteja onipresente, os mundos moral e mental são desordenados e destituídos de leis. É bom lembrar a seguinte verdade:

Embora os moinhos de Deus moam devagar,
ainda assim moem muitíssimo fino;
Embora Ele espere com paciência,
Ele mói com grande exatidão.

Vimos que o nosso presente é o resultado do nosso passado e que pelo pensamento construímos o nosso caráter, pelos desejos construímos a oportunidade de satisfazê-los e pelas ações construímos o nosso ambiente. Consideremos, agora, até onde podemos modificar, no presente, esses resultados do nosso passado e até onde somos compelidos e até que ponto somos livres.

As escolas discordantes

Segundo o pensamento do mundo exterior, bem longe das ideias de reencarnação e karma, são muitas e opostas as opiniões. Robert Owen e sua escola veem o homem como criação das circunstâncias, não considerando a hereditariedade um reflexo superficial científico do karma; eles consideram que a mudança de ambiente pode mudar o homem, e isso com maior eficácia se a criança for retirada desse ambiente antes de formar maus hábitos. A criança tirada de um mau ambiente e colocada em ambientes bons cresceria para ser um bom homem. O fracasso da grande experiência social de Robert Owen mostrou que sua teoria não continha toda a verdade. Outros, compreendendo a força da hereditariedade, quase deixaram de considerar o ambiente. "A Natureza" – disse Ludwig Buchner

– "é mais forte do que a alimentação." Em ambos esses pontos de vista, tão extremos, há verdade. De vez que a criança traz com ela a natureza construída no seu passado, mas reveste-se de uma nova natureza emocional e de uma nova mentalidade, nas quais suas faculdades e qualidades autocriadas já existem como germes, e não como forças inteiramente desenvolvidas, esses germes podem ser alimentados para ter um crescimento rápido, ou podem se atrofiar pela falta de alimento, e isso é forjado pela influência do ambiente bom ou mau. Além do mais, a criança apresenta o revestimento de um novo corpo físico, com sua própria hereditariedade física, projetado para a expressão de alguns dos poderes que traz consigo, e isso pode ser amplamente afetado pelo seu ambiente e desenvolvido de uma forma saudável ou doentia. Esses fatos ficam à margem da teoria de Robert Owen e explicam o sucesso obtido por instituições filantrópicas como os *Dr. Barnardo's Homes* nos quais os germes do bem são cultivados e os germes do mal deixados à míngua. O criminoso congênito, entretanto, e demais seres dessa espécie, não se podem redimir numa só vida, e esses representam, em vários graus, os insucessos do benevolente salvador.

Igualmente é uma verdade, segundo afirma a escola oposta, que o caráter inato é uma força com a qual todo educador tem de contar. Ele não pode criar faculdades que não existem; não poderá erradicar inteiramente tendências que, abaixo da superfície, lançam raízes em busca de alimento apropriado. Algum alimento, vindo da atmosfera do pensamento em derredor, alcança essas raízes, bem como as alcançam as más formas de desejos que surgem do mal nos outros, e tais coisas não podem ser inteiramente lançadas fora, a não ser por meios ocultos, desconhecidos pelo educador comum.

O ponto de vista mais moderno

O ponto de vista científico mais moderno, de que o organismo e o ambiente inter-reagem modificando-se reciprocamente e fazendo surgir dessas modificações novas ações e reações, assimila o que é verdadeiro em cada um dos pontos de vista anteriores. Ele precisa apenas expandir-se pelo reconhecimento de uma consciência permanente, que passa de vida para vida, levando consigo o seu passado, e sempre crescendo, sempre evoluindo e, com esse crescimento e essa evolução, tornando-se cada vez um fator mais forte na direção e controle do seu destino futuro.

Assim, chegamos ao ponto de vista da Teosofia. Não podemos evitar o que trouxemos conosco, assim como não podemos evitar o ambiente no qual fomos atirados. Podemos, entretanto, modificar ambos, e quanto mais soubermos, maior será a nossa eficiência para realizar essa modificação.

Autoexame

O primeiro passo a examinar, refletidamente, é o que se refere ao que podemos chamar de nosso "estoque de mercadorias", e são nossas faculdades e qualidades inatas, boas e más, são os nossos poderes e as nossas fraquezas, as nossas oportunidades presentes e o nosso ambiente atual. Nosso caráter é o que pode ser modificado mais rapidamente, e nele temos de começar a trabalhar, selecionando as qualidades que convém fortalecer e as fraquezas que constituem nosso perigo mais premente. Vamos tomá-las, uma a uma, e usar a força do pensamento da forma antes descrita, lembrando sempre que jamais devemos pensar em fraqueza e, sim, na força de que o pensamento é dotado. Pensamos naquilo que desejamos ser e, aos poucos, de uma forma inevitável, nos tornamos aquilo em que pensamos. Essa lei não pode falhar. A nós cabe, apenas, trabalhar para que ela obtenha êxito.

A natureza do desejo também é modificada pelo pensamento, e criamos as formas-pensamento de que necessitamos. Alerta para ver e captar uma oportunidade conveniente, nossa vontade se fixa nas formas que o nosso pensamento cria, e assim coloca-as ao nosso alcance, produzindo-as, literalmente, e aproveitando as oportunidades em que o karma do passado não nos apresenta.

O mais difícil de se modificar é o nosso ambiente, porque nesse caso estamos tratando com a forma mais densa de matéria, aquela sobre a qual a força do nosso pensamento tem menos força. Nesse caso, nossa liberdade fica muito limitada, porque estamos no ponto mais fraco, e o passado está em seu ponto mais forte. Ainda assim, não estamos de todo desamparados, porque, nesse ponto, seja pelo combate, seja pela aceitação, poderemos, finalmente, obter êxito. A parte indesejável do nosso ambiente que podemos modificar com vigoroso esforço é a que temos de modificar de imediato. O que não conseguirmos modificar, aceitamos e ficamos observando o que isso tem a nos ensinar. Quando tivermos aprendido essa lição, essa parte indesejada irá desprender-se de nós como uma roupa usada. Temos uma família indesejável: bem, ela é formada pelos egos que chamamos para junto de nós no passado; realizamos todas as obrigações com ânimo e paciência, pagando com honradez nossas dívidas;

adquirimos paciência através dos transtornos que ela nos causa, vigor através das irritações diárias e perdão através de seus erros. Nós a usamos como o escultor usa seus instrumentos de trabalho: para aplainar nossas excrescências e alisar e polir nossas arestas. Quando a utilidade desses egos terminar para nós, eles serão levados embora pelas circunstâncias ou afastados para outro lugar qualquer. O mesmo acontecerá com os outros aspectos do nosso ambiente, que, aparentemente, são aflitivos. Como o marinheiro experiente que move suas velas conforme o vento que ele não pode modificar e então força-as a colocá-lo na rota, usamos as circunstâncias que não podemos alterar adaptando-nos a elas, de forma que se vejam compelidas a nos ajudar.

Assim, em parte somos compelidos, em parte somos livres. Temos de trabalhar entre e com as condições que criamos; mas somos livres, dentro delas, para trabalhar sobre elas. Nós próprios, Espíritos eternos, somos inerentemente livres, mas só podemos trabalhar dentro e através da natureza do pensamento e do desejo que criamos. Esses são os nossos materiais e as nossas ferramentas; não poderemos ter outros enquanto nós mesmos não os produzirmos.

O que vem do passado

Outro ponto de grande importância a recordar é que o karma do passado tem características muito mescladas. Não nos cabe enfrentar apenas uma única corrente, a totalidade do passado, mas um curso d'água feito de correntes que se dirigem para vários pontos, algumas opondo-se a nós, outras nos ajudando; a verdadeira força que temos de enfrentar, o resultado que ficar quando todas essas forças de oposição tiverem se neutralizado mutuamente, pode ser a que não está, de modo algum, longe da nossa possibilidade de dominar presentemente. Diante de um caso de mau karma do passado, temos de nos aferrar a ele, esforçando-nos por dominá-lo, lembrando-nos de que ele encarna uma parte apenas do nosso passado, e que outras partes desse passado estão conosco, fortalecendonos e revigorando-nos para a batalha. O esforço presente, levado a cabo com o acréscimo dessas forças do passado, pode ser, e com frequência é, o bastante para dominar as situações que nos são adversas.

Ou – tornamos a dizer – uma oportunidade se apresenta e hesitamos em aproveitá-la, temendo que nossos recursos sejam inadequados para atender às responsabilidades que ela traz. Ela, porém, não estaria ali a não ser que o nosso karma a tivesse trazido até nós como fruto de um desejo do passado. Tratemos de captar essa oportunidade, de forma corajosa e tenaz, e veremos que esse simples esforço desperta forças latentes que dormitavam em nós e que desconhecíamos. Elas estavam à espera de estímulo exterior para despertar e se tornarem ativas.

Assim, muitos dos nossos poderes, criados pelo esforço do passado, estão a dois passos da expressão e só precisam da oportunidade para florescer em ação.

Devemos visar sempre algo mais do que aquilo que pensamos que estamos em condições de fazer – não uma coisa totalmente fora de nossa capacidade atual, mas aquilo que parece apenas estar fora do nosso alcance. Enquanto nos esforçamos para alcançar esse objetivo, todas as forças kármicas adquiridas no passado vêm em nosso auxílio para nos fortalecer. O fato de que quase podemos realizar algo significa que trabalhamos com esse algo no passado, e o vigor acumulado por esse esforço está conosco. O fato de podermos fazer um pouco significa o poder de fazer mais e, mesmo que fracassemos, o poder demonstrado no máximo passa para o reservatório das nossas forças. O fracasso de hoje representa a vitória de amanhã.

Quando as circunstâncias são adversas, ocorre o mesmo: pode ser que tenhamos chegado ao ponto em que um esforço a mais represente sucesso. É por isso que Bhishma aconselha o esforço em qualquer situação e diz esta frase encorajadora: "O esforço é maior do que o destino." O resultado de muitos esforços passados tomou corpo no nosso karma, e se lhe acrescentarmos o esforço atual, ele pode adequar nossas forças para que alcancemos nossa meta.

Há casos em que a força do karma do passado é tão grande que esforço algum no presente pode ser suficiente para vencê-la. Ainda assim, esse esforço tem de ser feito, pois são poucos os que sabem quando um desses casos acontece com eles e, em última análise, o esforço feito diminui a força kármica para o futuro. Às vezes, um químico trabalha durante anos para descobrir uma força, ou uma combinação de matéria que lhe dê possibilidade de alcançar o resultado desejado, e com frequência vê-se frustrado, mas não se dá por vencido. Ele não pode modificar os elementos químicos, não pode modificar as leis das combinações químicas, mas aceita o fato resmungando, e nisso consiste "a sublime paciência do pesquisador". Contudo, o conhecimento do pesquisador, sempre maior em virtude de seus pacientes experimentos, chega, por fim, ao ponto que o leva a encontrar o resultado que deseja. Esse é o espírito que o estudante do karma precisa adquirir; ele deve aceitar o inevitável sem queixas, mas, sem descanso, procurar os métodos através dos quais lhe seja garantida a obtenção da sua meta, seguro de que sua única limitação é a sua ignorância e de que o conhecimento perfeito deve significar o perfeito poder.

Velhas amizades

Outro fato de grande importância é o de que somos levados pelo karma a entrar em contato com pessoas que conhecemos no passado. Com algumas delas temos dívidas, enquanto outras estão endividadas conosco. Homem algum faz sozinho a sua longa peregrinação, e os egos aos quais ele está ligado por muitos laços de um passado comum vêm de toda parte do mundo para junto dele, no presente. Conhecemos alguém, no passado, que passou adiante de nós em sua evolução; por acaso nós lhe prestamos algum serviço, formando-se com isso um laço kármico. No presente, esse laço nos leva para a órbita da sua atividade, e recebemos, de fora de nós, um novo impulso de força, um poder que não é nosso, impelindo-nos a ouvir e a obedecer.

Vimos muitos desses benéficos laços kármicos dentro da Sociedade Teosófica. Há muito, muito tempo, Aquele que agora é conhecido como o Mestre K. H. caiu prisioneiro numa batalha contra o exército egípcio e foi generosamente favorecido e abrigado por um egípcio de alta categoria. Milhares de anos depois, a nascente Sociedade Teosófica precisou de auxílio, e o Mestre, voltando os olhos para a Índia, à procura de alguém que o ajudasse nesse grande trabalho, vê seu velho amigo do Egito e de outras vidas, agora o Sr. A. P. Sinnett, editando o principal jornal anglo-indiano, *The Pionner*. Como de costume, o Sr. Sinnett vai a Simla. Madame Blavatsky também vai para lá, a fim de que se forme o laço. O Sr. Sinnett é levado para a influência imediata do Mestre, recebe suas instruções e torna-se o autor de *O Mundo Oculto* e do *Budismo Esotérico,* levando a milhares de pessoas a mensagem da Teosofia. Ganhamos esses direitos pelo auxílio que prestamos no passado, o direito de ajudar em níveis mais elevados e com alcance mais amplo, ao mesmo tempo que também somos auxiliados pelo estreitamento dos antigos laços de amizade conquistados no serviço, e regiamente recompensados pelo dom inestimável do conhecimento, obtido por um e semeado, amplamente, para muitos.

Crescemos quando ofertamos

Na verdade, neste mundo de leis, onde ação e reação se equivalem, toda ajuda volta a quem a fez, como a bola atirada contra uma parede volta para a mão de quem a atirou. O que damos volta para nós; assim, mesmo por motivos egoísticos, é bom dar, e dar com abundância: "Atira o teu pão à água e irás encontrá-lo depois de muito tempo." Dar, mesmo por motivos egoísticos, é bom, porque leva a um intercâmbio de sentimentos humanos úteis, pelos quais tanto quem dá como quem recebe cresce e se expande, de modo que o Divino, dentro de cada um, tem oportunidade de se expressar mais amplamente. Mesmo que a doação, de início, seja coisa interesseira, "quem dá aos pobres empresta a Deus" e vê que o que ele deu lhe será novamente pago – ainda assim, aos poucos, o amor invocado fará com que as dádivas futuras sejam espontâneas e isentas de egoísmo.

Assim, os laços kármicos ligam ego a ego, em longas séries de vidas humanas. Todos os laços pessoais, sejam eles de amor ou de ódio, crescem, vindo do passado, e em cada vida fortalecemos os laços que nos ligam aos nossos amigos e garantem nosso retorno juntos, nas vidas que temos pela frente. É assim que formamos uma verdadeira família, independentemente dos laços de sangue, e voltamos à Terra muitas e muitas vezes, para ligar mais apertadamente os antigos vínculos.

O karma coletivo

Antes de dar por completas estas imperfeitas considerações, temos de considerar aquilo que chamamos de Karma Coletivo, o complexo no qual estão tecidos os resultados dos pensamentos coletivos, dos desejos e atividades de grupos, sejam eles grandes ou pequenos. Os princípios a trabalhar são os mesmos, mas os fatores são menos numerosos, e essa multiplicidade aumenta bastante a dificuldade para compreender seus efeitos.

A ideia de considerar o grupo comum como um grande indivíduo não está fora das cogitações da ciência moderna, e esses grandes indivíduos geram karmas ao longo de linhas semelhantes às que estivemos estudando. Uma família, uma nação, uma sub-raça, uma raça, não passam, todas elas, de grandes indivíduos, cada qual com um passado atrás de si, cada qual sendo o criador do presente, cada qual com um futuro pela frente, futuro ainda em formação. Um ego que venha a fazer parte de um indivíduo tão grande tem de partilhar do seu karma geral; seu próprio karma especial levou-o a ele, e deve ser trabalhado dentro dele, oferecendo o karma maior, muitas vezes, condições de agir ao menor.

O karma familiar

Consideremos o karma coletivo de uma família. A família tem uma atmosfera de pensamento que lhe é própria, em cuja coloração entram suas tradições e costumes, o modo de encarar o mundo exterior, seu orgulho pelo passado e seu forte sentido de honra. Todas as formas de pensamento de um membro da família serão influenciadas por essas condições, formadas durante centenas de anos, e delineando, modelando, colorindo os pensamentos, desejos e atividades do indivíduo nela recém-nascido. As tendências que ele apresentar e que conflitem com a tradição da família, serão suprimidas, sem que ele tenha consciência do fato. As "coisas que um homem não deve fazer" não terão atrativo para ele. Ele será elevado para ficar acima das várias tentações, e as sementes do mal que essas tentações poderiam ter revigorado desaparecem, em silêncio, atrofiadas. O karma coletivo da família lhe dará oportunidade de distinção, abrirá caminhos que lhe serão de utilidade, trará vantagens na luta pela vida e lhe garantirá o sucesso. Como lhe aconteceu nascer em condições tão favoráveis? Pode tratar-se de vínculo pessoal com alguém que já faz parte da família, pode tratar-se de um serviço prestado em vida anterior ou de um laço de afeição; nesse caso, são aproveitados os resultados dos velhos karmas familiares, em virtude de seu passado coletivo de coragem, capacidade e utilidade de alguns de seus membros, que deixaram uma herança de consideração social como patrimônio.

Quando o karma familiar é mau, o indivíduo nela nascido sofre, como se beneficia no primeiro caso, e o karma coletivo prejudica seu bem-estar, da mesma forma que o promove no primeiro caso.

Em ambos os casos, porém, o indivíduo formou em si próprio, por hábito, características que pedem, para seu exercício integral, o ambiente proporcionado pela família. Entretanto, um forte laço pessoal, ou um serviço incomum, podem, sem isso, levar um homem a uma família da qual ele se beneficiou, dando-lhe, assim, uma oportunidade que ele geralmente não mereceu, mas que obteve por algum ato especial do seu passado.

O karma nacional

Vamos pensar no karma coletivo de uma nação. Face a face com ele, o indivíduo é relativamente indefeso, pois nada do que fizer pode livrá-lo da influência desse karma, e só lhe cabe manejar suas velas da melhor maneira possível. Mesmo um Mestre só pode modificar ligeiramente o karma nacional ou mudar a atmosfera de um país.

A ascensão e a queda das nações acontecem por causa do karma coletivo. Atos de retidão ou de criminalidade nacional levam-nos a nobres ou baixos pensamentos, amplamente dirigidos pelas ideias nacionais, e trazem consigo ou a ascensão ou o declínio. Os atos da Inquisição Espanhola, a expulsão de judeus e de mouros da Espanha, as atrozes crueldades das conquistas do México e do Peru foram crimes nacionais que arrancaram a Espanha da sua esplêndida posição de poder e a reduziram a uma relativa pobreza.

Mudanças sísmicas – terremotos, vulcões, inundações – ou catástrofes nacionais como a fome e a peste, são, todas elas, casos de karma coletivo, trazido pelas grandes correntes de pensamentos e ações de um caráter mais coletivo do que individual.

Tal como com a família, acontece com a nação, em grau maior e com a atmosfera criada pelo passado dessa nação. Tradições nacionais, costumes, pontos de vista, exercerão vasta influência na mente de todos os que nela vivem. Poucas são as pessoas que podem livrar-se inteiramente dessas influências e considerar a questão que afeta o seu país sem qualquer prevenção, encarando-o de um ponto de vista diferente do que o do seu próprio povo. Daí o surgimento de atritos e suspeitas entre as nações, daí as opiniões distorcidas quanto aos motivos que os fizeram surgir. Muitas foram as guerras que eclodiram em razão da diferença na atmosfera do pensamento que rodeava os combatentes em perspectiva, e essas dificuldades são multiplicadas quando as nações nascem de diferentes troncos raciais, como, por exemplo, os italianos e os turcos. Tudo o que o conhecedor do karma pode fazer nesses casos é compreender o fato de que suas opiniões e pontos de vista são, em grande parte, produto da personalidade mais forte da sua nação, e evitar a prevenção tanto quanto possa, dando o peso exato a opiniões obtidas através do ponto de vista da nação antagônica.

Quando o homem se vê agarrado pelo karma nacional a que ele não pode resistir – digamos que seja membro de uma nação conquistada – deve estudar calmamente as causas que a levaram a ficar subjugada, e deve pôr-se a trabalhar para remediar essas causas, tentando influenciar a opinião pública, usando caminhos que erradicariam essas causas.

O karma da Índia

Há muito tempo, o *East and West*, jornal do Sr. Malabari, publicava um artigo que dizia que o karma da Índia seria o de ser conquistada – obviamente uma verdade, caso contrário essa conquista não teria acontecido – e que ela deveria, portanto, aceitar seu destino de servir e não modificar as condições existentes – o que é, obviamente, um erro.

O conhecedor de karma teria dito: Os hindus não foram os donos originais deste país. Eles vieram da Ásia Central, conquistando a terra, subjugando os povos que ali viviam e reduzindo-os à servidão. Durante milhares de anos, conquistaram e governaram, e geraram o karma nacional. Pisotearam as tribos conquistadas, fizeram-nas suas escravas, oprimiram-nas, aproveitaram-se delas. O mau karma assim produzido trouxe para eles, por sua vez, muitos invasores: gregos, mongóis, portugueses, holandeses, franceses, ingleses. Ainda assim, a lição do karma não chegou a ser aprendida, embora os milhões de intocáveis sejam uma prova viva das perversidades que sofreram. Agora, os hindus pedem para fazer parte do governo de seu próprio país, e estão sendo prejudicados por esse mau karma nacional. Que tratem de pedir enquanto podem o aumento de liberdade para si mesmos, que tratem de resgatar o que foi feito a esses intocáveis, dando-lhes liberdade social e elevando-os na escala social. A Índia deve redimir-se do mal que fez e limpar suas mãos da opressão que antes exerçeu. Assim, modificará seu karma nacional e construirá o alicerce da liberdade. O sentimento público pode ser modificado, e toda pessoa que falar com amabilidade e bondade com um subalterno estará ajudando nesse sentido. Entrementes, todos os que foram levados para essa nação pelo seu karma individual devem reconhecer os fatos como são, mas trabalhar pela modificação dos que são indesejáveis. O karma nacional pode ser modificado, assim como o karma individual, porém, do mesmo modo como as causas não tiveram continuação, o mesmo deve acontecer com os efeitos, e as novas causas adotadas apenas podem modificar lentamente os resultados que vêm se ampliando desde o passado.

Calamidades nacionais

O karma que produz catástrofes sísmicas e outras calamidades nacionais carrega, em sua varredura, grande número de pessoas, cujo karma contém morte súbita, doenças ou prolongado sofrimento físico. É interessante e instrutivo observar a forma pela qual as pessoas que não têm essas dívidas são tiradas para fora da cena de uma grande catástrofe, enquanto outras se apressam para se envolver nela. Quando um terremoto mata certo número de pessoas, sempre haverá as que "escaparam milagrosamente" – umas chamadas por um telegrama, outras por negócios urgentes, etc. – e também milagrosamente há o afluxo de pessoas que chegam a esse lugar a tempo de serem mortas. Se tal chamado fosse impossível para os que devem se salvar, então um outro arranjo, por exemplo, uma viga que evitasse o desabamento de grandes pedras, os protegeria da morte.

Quando está para acontecer uma catástrofe, as pessoas que têm o karma individual apropriado reúnem-se nesse lugar, como na enchente de Johnstown, na Pensilvânia, no grande terremoto e incêndio de São Francisco. Num terremoto no norte da Índia, há muitos anos, houve vítimas que se tinham apressado, afobadamente – para serem mortas. Outras deixaram o lugar na noite anterior – para serem salvas. A catástrofe local é usada para acabar karmas particulares. Ou um carro que está levando uma pessoa para a estação é detido por um bloco da rua, e a pessoa perde o trem. Ela se zanga, mas o trem sofre um desastre e ela está salva. Isso não quer dizer que o bloqueio estava ali para fazê-lo parar, mas que foi utilizado para esse fim. Em Messina, os que não tinham de morrer foram resgatados dias depois do terremoto, e em mais de um caso foi possível fazer chegar comida a eles, para mantê-los vivos, comida essa trazida por um agente astral. Em naufrágios, a segurança ou a morte dependem do karma de cada um. Algumas vezes, um ego tem um débito de morte súbita a pagar, mas isso não estava incluído na dívida que precisaria resgatar durante a encarnação presente, e sua presença em algum acidente provocado pelo karma coletivo oferece a oportunidade de resgatar sua dívida "antes do tempo". O ego prefere agarrar a oportunidade e livrar-se do karma, e seu corpo é abatido com os dos demais.

Como o ego seleciona

Características individuais desenvolvidas numa vida podem levar seu dono, em outra vida, para uma nação que lhe ofereça facilidades peculiares para exercê-las. Assim, um homem que desenvolveu uma mente forte, prática, apta para o comércio, nascido, digamos, na casta Vaishya – a dos comerciantes – da Índia, pode ser levado para os Estados Unidos e ali tornar-se um Rockefeller.

Em sua nova personalidade ele verá que uma grande fortuna só é tolerável quando usada para propósitos nacionais, e levará para a América o ideal Vaishya, que diz que um homem, reunindo uma grande fortuna, torna-se como que o administrador de um lar nacional e deve distribuir sensatamente, para benefício geral, os estoques que acumulou como posses pessoais. Assim, o velho ideal será plantado no meio de uma nova civilização e irá espalhar-se para o exterior, através de outros povos.

O karma da Inglaterra

Uma nação colonizadora, como a Inglaterra, muitas vezes se torna culpada de muita crueldade ao se apoderar de terras pertencentes a tribos selvagens, que os colonizadores expulsam. Milhares morrem prematuramente durante a conquista e subsequente instalação. Esses povos têm uma reivindicação kármica a fazer contra a Inglaterra, coletivamente, bem como contra as dívidas dos atuais ocupantes de seu território. Essas pessoas são levadas para a Inglaterra, nascem em seus bairros miseráveis, formando uma população de criminosos congênitos, gente sem moral e de mentalidade fraca.

O que lhes é devido pela consumação sumária de suas existências anteriores deveria ser pago com educação e treinamento, acelerando, assim, sua evolução, e retirando-os do nível de natural selvageria em que se encontram.

A Revolução Francesa

O egoísmo e a indiferença coletiva dos abastados para com os pobres e os miseráveis, deixando que se corrompam em antros superlotados, num ambiente estimulador do mal, traz para eles próprios perturbações sociais, intranquilidade trabalhista, combinações ameaçadoras. Levado ao excesso na França, durante os reinados de Luís XIV e de Luís XV, esse mesmo egoísmo e essa mesma indiferença foram as causas diretas da Revolução Francesa e da destruição da Coroa e da nobreza.

Ensinados pela Teosofia a ver a ação da lei kármica na história das nações, bem como na dos indivíduos, devemos ser forças para promover o bem-estar e a prosperidade nacional. A mais forte causa kármica é o poder do pensamento, e isso tanto é verdade para as nações como para os indivíduos.

Um nobre ideal nacional

Manter um nobre ideal nacional é pôr em movimento a mais poderosa força kármica, porque para esse ideal estão sempre fluindo os pensamentos de muitos e ele se torna mais forte por esse influxo diário. A opinião pública modifica constantemente o teor da sua influência e reproduz o que é constantemente exibido para a sua admiração. A força do pensamento é acumulada, até que se torna irresistível e ergue toda a nação até um nível superior.

Os conhecedores do karma podem trabalhar deliberada e conscienciosamente, seguros do seu terreno, seguros dos seus métodos, confiando na Boa Lei. Assim, eles se tornam cooperadores conscientes da Vontade Divina que trabalha pela evolução, e ficam repletos de profunda paz e de alegria infinita.